LES LOUSTICS

A1.1

1

Hugues Denisot — Marianne Capouet

hachette
FRANÇAIS LANGUE ÉTRANGÈRE

À Poucette

Remerciements :

La participation et l'implication des enseignants à nos projets est une aide précieuse et indispensable.
Nous remercions donc chaleureusement tous les professeurs de FLE et leurs élèves
qui ont partagé leurs expériences et leurs avis constructifs en Belgique, France, Espagne, Mexique,
Liban, Maroc, Égypte, États-Unis, Canada et Australie.

Un grand merci aux enfants qui ont posé pour les photos :
Camille (p. 2, 19, 25), Cole (p. 3, 55), Kiwa (p. 3, 25, 29, 79), Lily (p. 2, 77, 79),
Maimouna (p. 2, 25), Mason (p. 2, 24), Mathilde (p. 3, 6, 26, 74, 76),
Nino et Tom (p. 15, 75), Pablo (p. 3, 11, 25), Ward (p. 2, 25) et Zachary (p. 3, 6, 27).

Conception graphique de la couverture : Christophe Roger
Conception graphique et mise en pages : Sylvaine Collart
Illustrations : Florence Langlois
Hélène Convert : p. 6 (3), 24 (3), 26 (3), 27 (3), 74, 76
Photos : © iStockphoto.com
© Le bar Floréal, Mara Mazzanti : p. 2, 3, 6, 11, 19, 24, 25, 26, 27, 29, 74, 76, 77, 79
© Centre Pompidou, MNAM-CCI, Dist. RMN-Grand Palais : p. 10
Secrétariat d'édition : Le souffleur de mots, Françoise Malvezin

ISBN : 978-2-01-705359-0

© Hachette Livre 2019
58 rue Jean Bleuzen, CS 70007, 92178 Vanves Cedex.

http://www.hachettefle.fr

Achevé d'imprimé en septembre 2021 en Espagne par GRAFO - Dépôt légal : Février 2019 - Édition 04 - 41/3071/1

Les symboles

Regarde et écoute ton professeur.

- De la page 4 à la page 29, les pistes audio sont disponibles sur le CD 1 du coffret.
- De la page 30 à la page 73, les pistes audio sont disponibles sur le CD 3 du coffret.
- Les chansons sont disponibles sur le CD encarté dans ce manuel.

Unité 1 : Bonjour !

1.  Écoute et montre sur la grande image.

2. Écoute et réponds.

3. Écoute et montre.

4. Écoute la chanson « Je te dis bonjour ». Mime et chante.

Salut ! Moi, c'est Alice. Ça va ?
Au revoir.

Il y a combien de doigts ?

1 Écoute et mime.

1, 2, 3...

2 Écoute, répète et mime.

3 Écoute la chanson « 1, 2, 3 » et chante.

zéro – un – deux – trois – quatre – cinq – six – sept – huit – neuf – dix – onze – douze

Comment tu t'appelles ?
Tu as quel âge ?

1

Regarde
et écoute.

2

Écoute,
montre
et réponds.

3

Réponds :
«Tu as
quel âge ?»

Je m'appelle Léo. J'ai sept ans.

Leçon 4

De quelles couleurs est la toupie?

1 🎧 13 👉

Écoute et montre.

2 🎧 14 🖊

Écoute la chanson
« Ma toupie »
et chante.

3 🎧 16 💬

Écoute
et réponds.

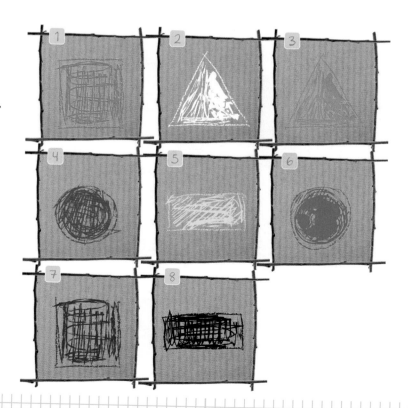

noir – blanc – bleu – rouge – jaune – violet – orange – vert

Leçon 5

Qu'est-ce qu'il fait ?
Qu'est-ce qu'elle fait ?

1

Écoute, regarde et mime.

2

Écoute et dis le numéro.

3

Écoute et réponds.

Il peint. Elle chante. Et toi, tu apprends le français.

PETIT DOC

La peinture préférée de Léo

1. 👁 **Regarde la peinture préférée de Léo.**

Qu'est-ce que c'est ?
Comment s'appelle le peintre ?

2. ✌ **Montre :**

un carré
un triangle
un rectangle

3. 🎧20 💬

Écoute et réponds.

Robert Delaunay (Paris 1885 — Montpellier 1941)
Tour Eiffel, 1926.

Le téléphone de Pedro

1

🎧 21 Écoute Pedro et Isa.

Liste de téléphone :

Pedro : 7.3.6.4.2.0.1.1

Isa : 8.4.2.9.5.1.3.3

Juan : 4.8.3.7.2.1.0.0

Sofia : 9.3.2.1.8.4.2.3

Diego : 3.9.5.7.4.4.8.3

Maria : 1.4.8.2.5.3.1.9

Miguel : 8.4.2.7.5.1.3.3

2

Toi aussi, fabrique un téléphone !

1. Colorie les touches.

2. Découpe les touches.

3. Colle les touches.

4. Ajoute une antenne si tu veux.

Unité 2 : Vive l'école !

Qu'est-ce que c'est ?

1 🎧22 👉 Écoute et montre.

1
2
3
4
5
6
7 lanètes
8

2 🎧23 👉 Écoute et montre sur la grande image.

3 🎧24 💬 Écoute Alice et dis les mots que tu reconnais.

4 🎧25 💬 Écoute et réponds.

C'est une trousse. C'est un cartable.
Ce sont des ciseaux.

Qui fait quoi ?

1

Écoute la poésie « S'il te plaît » et montre le bon dessin.

2

Écoute
et
montre.

3

Écoute
et réponds.

Léo pose son cartable. Maggie prend les crayons.
Alice prête les ciseaux.

Leçon 3

Nous sommes quel jour aujourd'hui ?

1

Écoute
la chanson
« Mes petites
mains »
et mime.

2

Écoute et
montre.

3

Écoute,
répète
et chante.

lundi **13**   mardi **14**   mercredi **15**

jeudi **16**   vendredi **17**   samedi **18**

dimanche **19**   lundi **20**

lundi – mardi – mercredi – jeudi – vendredi –
samedi – dimanche

Tu aimes aller à l'école ?

1 👁 🎧33 ☞

Regarde le tableau.
Écoute et vérifie.

2 🎧34 💬

Écoute, réponds
vrai ou faux
et corrige
si nécessaire.

3 🎧35 💬

Écoute
et complète.

4 💬 Réponds : « Et toi, tu aimes aller à l'école ? »

Oui, j'aime aller à école. J'aime lire et compter.
Je n'aime pas dessiner.

Qu'est-ce que tu aimes faire pendant la récréation ?

1 Écoute et dis le numéro.

2 Écoute et complète.

3 Mime et réponds.

J'aime sauter à la corde, jouer aux billes et jouer à cache-cache. Je n'aime pas jouer à la marelle.

PETIT DOC

LES ABÉCÉDAIRES D'ALICE

1. 🎧38 💬
Écoute
et réponds.

2. 🎧39 💬👆
Écoute, réponds
et montre.

3. 🎧40 💬
Écoute
et compte.

 avion

 bateau

 cerise

 dé

 école

 fromage

 girafe

 hélicoptère

 île

 jaune

 kangourou

 lunettes

 marelle

 nuage

 orange

 pyjama

 quiche

 rose

 salade

 téléphone

 usine

 voiture

 wagon
xylophone

 yaourt zèbre

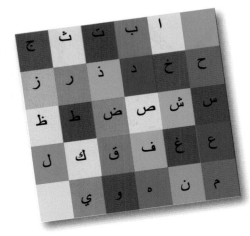

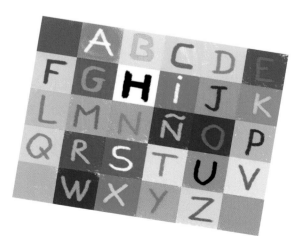

4. 🎧41 ✏️ Écoute la chanson « L'alphabet » et chante.

Le présentoir d'Hugo →

> C'est moi !

> C'est...

1

🎧43 Écoute les élèves de la classe d'Hugo.

2

Toi aussi, fabrique un présentoir !

> **1. Écris ton prénom :** remplace les lettres par les dessins de l'abécédaire de Lucie.

> **2. Dessine ce que tu aimes et ce que tu n'aimes pas faire à l'école.**

> **3. Dessine** ce que tu aimes et ce que tu n'aimes pas faire pendant la récréation. Colorie !

Remue-méninges

DÉPART A

DÉPART B

DÉPART C

1 44 ☞

Écoute
et montre.

1

2

3

7

8

9

lundi
mardi
mercredi
jeudi
vendredi
samedi
dimanche

13

14

15

19

20

21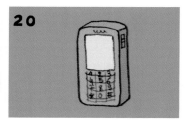

25

26

27

ARRIVÉE U

ARRIVÉE V

ARRIVÉE W

4

5

6

10

11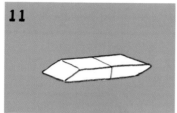

12

16

17

18

22

23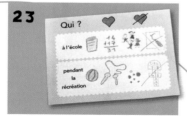

24

28

29

30

ARRIVÉE
X

ARRIVÉE
Y

ARRIVÉE
Z

2 Dicte un parcours à un camarade.

Unité 3 : La famille Legrand

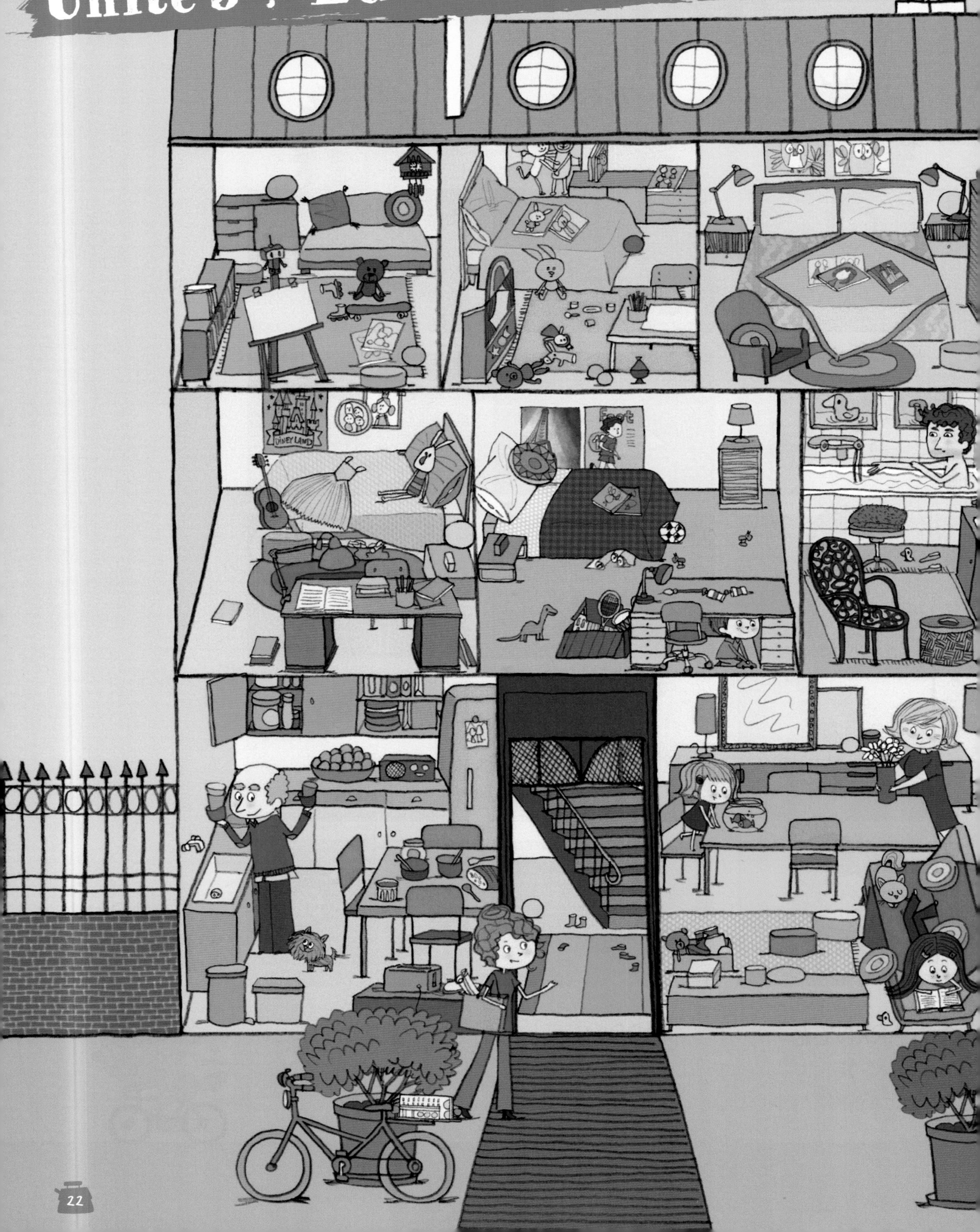

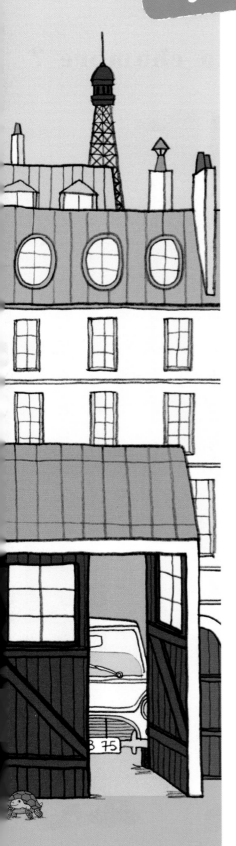

1 🎧45 👉 Écoute et montre.

2 👁 🎧46 💬 Regarde la grande image, écoute et réponds.

3 🎧47 👉 Écoute et montre sur la grande image.

4 🎧48 👁 💬 Écoute, regarde la grande image et réponds.

J'habite en ville. Je n'habite pas à la campagne, à la montagne, à la mer.

Leçon 2

Qu'est-ce qu'il y a dans ta chambre ?

1

Écoute
et montre.

2

Écoute
et réponds.

3

Écoute
la poésie
« Tut !
Tut ! »
et répète.

PAF!

PAF!

Il y a des jouets dans le coffre, une voiture sous le bureau,
des livres sur le lit.

Tu as des frères et des sœurs ?

1 🎧 52 💬

Écoute
et trouve
l'enfant.

2 🎧 53 💬

Écoute
et présente
les enfants.

3 💬 Réponds : « Et toi, tu as des frères et des sœurs ? »

Oui, j'ai une sœur et un frère.
Non, je n'ai pas de sœur et je n'ai pas de frère.

Leçon 4

Tu habites avec qui ?

1

Écoute
et réponds :
« Léo habite
avec qui ? »

2

Écoute,
montre
et réponds.

3

Écoute.
Chante
la chanson
« Quand
Fanny était
un bébé »
et présente
Fanny.

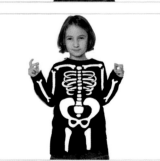

J'habite avec mes parents (ma mère et mon père),
ma grand-mère et mon grand-père.

Tu as des animaux ?

 Écoute
et réponds.

 Écoute,
répète
et montre.

 Écoute la chanson
« La famille tortue ».
Montre la bonne
photo et chante.

Oui, j'ai un chat, un chien, une tortue, un poisson rouge,
une souris, un oiseau et un rat. Non, je n'ai pas d'animaux.

PETIT DOC

La carte postale de ...

1. 💬 **Décris la carte postale.**

2. 📖 👉 **Lis les cartes postales et montre le bon texte.**

Bonjour Alice !

Comment ça va ?
Moi, ça va bien.
Je suis à la campagne
avec mes grands-parents.
J'habite dans une petite
maison. Regarde la X.

Au revoir,

Mona

Alice Legrand

4, rue Lima

75018 Paris

Salut Léo !

Comment ça va ?
Moi, ça va bien.
Je suis à la mer avec
mes parents et ma sœur.
J'habite dans un grand
appartement. Regarde la X.

Au revoir,

Némo

Léo Legrand

4, rue Lima

75018 Paris

---

3. 💬 **Écoute et réponds aux questions.**

Le dépliant de Minami

1 Écoute Minami.

2 Toi aussi, fabrique un dépliant !

1. Dessine ta famille.

Voici ma famille :

2. Dessine où tu habites.

J'habite _en ville_
dans _un appartement_

3. Dessine-toi dans une pièce de ta maison ou de ton appartement.

...t moi dans _ma chambre_

4. Dessine tes animaux.

Voici mes animaux :

LA CHANDELEUR

1.

Regarde et dis si tu connais la Chandeleur.

A une galette

2.

Écoute et montre le dessert de la Chandeleur.

B des gaufres

C des beignets

D des crêpes

3. 🎧 29 💬

Écoute et apprends la poésie « la Chandeleur ».

30

Recette ✕ Les crêpes

Ingrédients

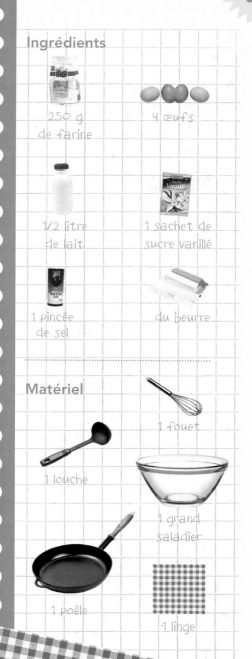

250 g de farine

4 œufs

1/2 litre de lait

1 sachet de sucre vanillé

1 pincée de sel

du beurre

Matériel

1 fouet

1 louche

1 grand saladier

1 poêle

1 linge

1 • Verser la farine dans le saladier.

2 • Casser les quatre œufs au-dessus du saladier.

3 • Ajouter le lait, le sucre vanillé, le sel et mélanger avec le fouet.

4 • Recouvrir le saladier d'un linge pour laisser reposer la pâte.

5 • Chauffer la poêle.

6 • Mettre un peu de beurre dans la poêle.

7 • Verser une demi-louche de pâte à crêpe.

8 • Faire cuire 1 à 2 minutes.

Voilà, les crêpes sont prêtes. Bon appétit !

4. 🎧30 🏃

Écoute et mime la recette.

5. 💬

Fais des crêpes ou présente une autre recette.

L' ABÉCÉDAIRE

D'ALICE

F f — fromage

L l — lunettes

R r — rose

Y y Z z — yaourt zèbre

E e é è ê ë — école

K k — kangourou

Q q — quiche

W w X x — wagon xylophone

D d — dé

J j — jaune

P p — pyjama

V v — voiture

C c — cerise

I i — île

O o — orange

U u — usine

B b — bateau

H h — hélicoptère

N n — nuage

T t — téléphone

A a — avion

G g — girafe

M m — marelle

S s — salade

MON ABÉCÉDAIRE

A

B

C

D

E

F

G

H

I

J

K

L

M

N

O

P

Q

R

S

T

U

V

W

X

Y

Z

apprendre — U1

un ballon — U2

une bille — U2

blanc, blanche — U1

bleu, bleue — U1

un cartable — U2

une chambre — U3

chanter — U1

un chat — U3

un chien — U3

des ciseaux — U2

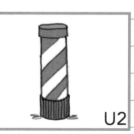

une colle — U2

 U2

compter

 U2

une corde
 à sauter

 U1

courir

 U2

un crayon

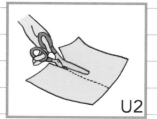 U2

découper

 U2

dessiner

 U2

écrire

 U3

mon frère

 U1

un gâteau

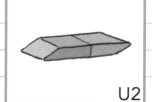 U2

une gomme

 U1

huit

 U1

jaune, jaune

des jouets — U3

lire — U2

un lit — U3

un livre — U2

une maison — U3

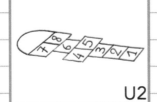

une marelle — U2

la mer — U3

ma mère (maman) — U3

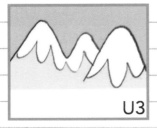

la montagne — U3

noir, noire — U1

un oiseau — U3

orange, orange — U1

peindre — U1

mon père (papa) — U3

un poisson — U3

quatre — U1

rouge, rouge

rose, rose

ma sœur

une souris

un stylo

téléphoner

une tortue

une toupie

tourner

une trousse

vert, verte

une ville

violet, violette

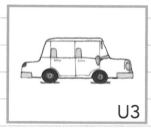

une voiture

Moi, c'est Léo. Et toi ?

Joue avec tes autocollants

1 **Cherche les personnages page A.**

2 **Dessine-toi.**

3 **Écris ton prénom.**

Bonjour, moi, c'est

....

4 **Cherche les bulles page A.**

5 **Écris avec le code.**

_____, ça va ?

_____ !

Alice

CODE

A = ✈
B = 🛥

E = 🏠
I = 🌴
J = ⬤

L = 🕶
N = ☁
O = 🍊

R = 🌹
U = 🏭
V = 🚐

Il y a combien de doigts ?

1 🎧 35 **Écoute et relie.**

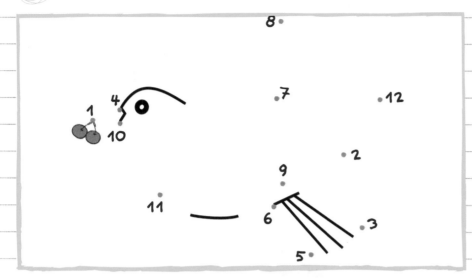

2 **Compte, complète et relie.**

zéro	un	deux	trois	quatre	cinq	six	sept	huit	neuf	dix	onze	douze

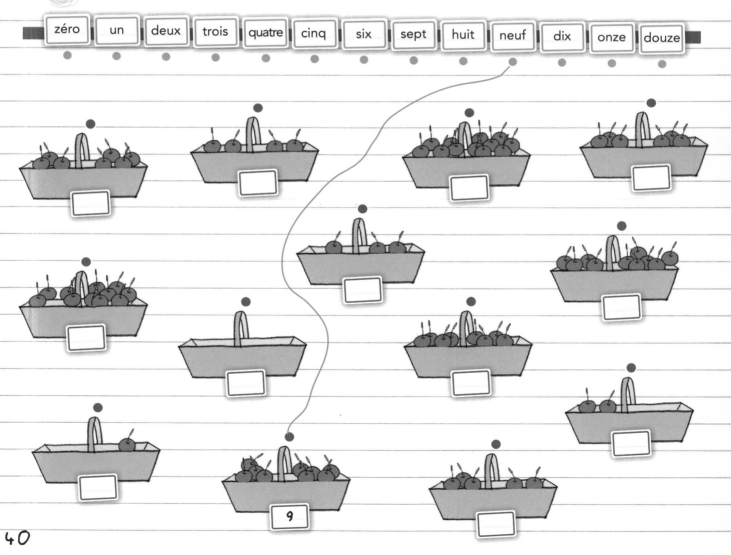

40

Dessine les cerises dans les paniers.

un + six

deux + huit

trois + trois + trois + trois

quatre + sept

cinq - un

 Compte et écris.

.... doigts

.... doigts

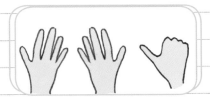

.... doigts

.... doigts

.... doigt

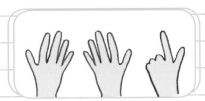

.... doigts

41

Comment tu t'appelles ?
Tu as quel âge ?

 36 **Écoute et écris.**

1. J'ai .... ans.

2. J'ai .... ans.

3. J'ai .... ans.

4. J'ai .... ans.

5. J'ai .... ans.

6. J'ai .... ans.

2 Cherche les gâteaux page A.

J'ai 8 ans.   J'ai 3 ans.   J'ai 7 ans.

3 a. Dessine ton gâteau et tes bougies.   b. Complète.

J'ai ....

De quelles couleurs est la toupie ?

1 🎧37 **Écoute et colorie les formes.**

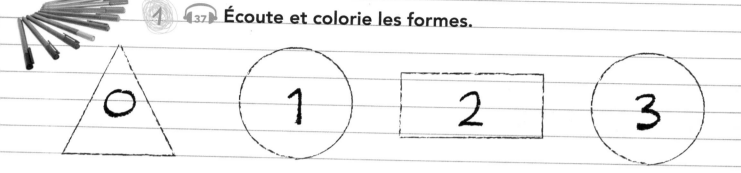

2 **Complète avec les formes et les nombres.**

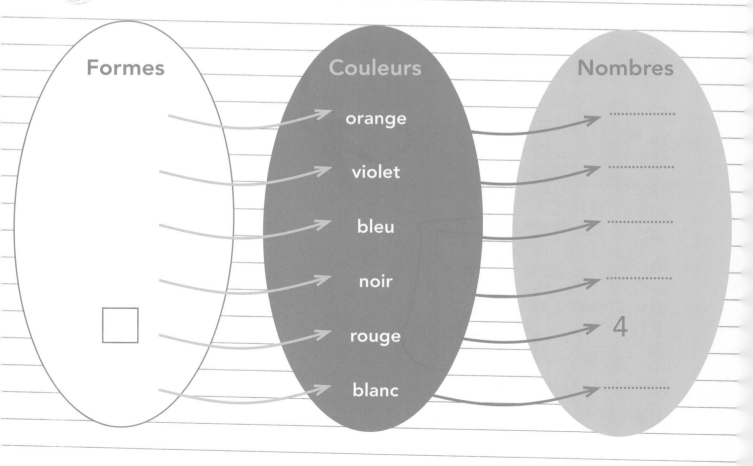

Formes

Couleurs

orange

violet

bleu

noir

rouge

blanc

Nombres

4

Regarde et complète.

1. Maggie a une toupie ....

2. Alice a une toupie ....

3. Léo a une toupie ....

Qu'est-ce qu'il fait ?
Qu'est-ce qu'elle fait ?

Joue avec tes autocollants

1 🎧 38 **Écoute et cherche les personnages pages A et B.**

Relie les dessins aux phrases.

● Elle peint.   ● Il chante.   ● Elle apprend le français.

● Il court.   ● Il saute.   ● Elle téléphone.

 Et toi qu'est-ce que tu fais ? Choisis et complète.

☐ Moi, j'apprends l'anglais.

☐ Moi, j'apprends le français.

☐ Moi, j'apprends l'espagnol.

Moi, ...

Je révise.

1 Regarde et relie.

2 Coupe les mots et écris.

rougejaunebleuvertnoirorange

....

.... rouge ....

....

....

....

....

3 Écris dans l'ordre.

ojruBno !

ôlAl !

altuS !

irvore uA !

4 **a. Mets les différentes étapes du projet dans l'ordre.**

b. Écris ton numéro de téléphone : ....

5 **Complète la suite de nombres.**

Ⓐ 0 → 2 → .... → 6 → .... → 10

Ⓑ 1 → 3 → 2 → .... → 3 → 5 → .... → .... → ....

Ⓒ 10 → 7 → .... → ....

Ⓓ 1 + 3 → 2 + 4 → .... → .... →

Colle
ta coupe
de champion.

Unité 2 : Vive l'école !

Qu'est-ce que c'est ?

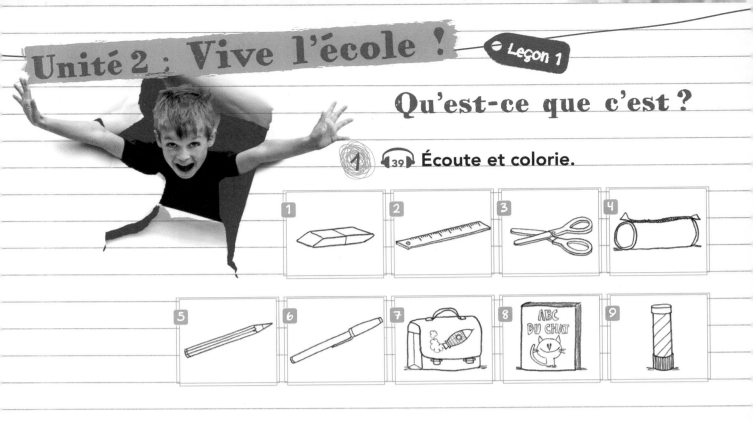

1 🎧39 Écoute et colorie.

2 Lis et colorie. Qui est-ce ? Qu'est-ce que c'est ?

0   12   5   11   7   4   9   3   8

1. rose		blanc	vert
2. bleue		blanche	verte
		rose	violet
		rose	violette
3. vert		bleu	marron
		bleue	marron

4 a. **Colorie le dessin.**

b. **Maintenant, complète le texte.**

J'ai une trousse ....

J'ai quatre crayons : un crayon .... ,

un crayon .... , un crayon ....

et un crayon ....

Ma gomme est ....

Mes ciseaux sont ....verts.......... .

Ma règle est ....

Ma colle est ....

Mon stylo est ....

jaune   marron
rose   violet
bleu   violette
bleue   orange
noire   vert
noir   verte
rouge   verts

1 🎧 **41** **Écoute et écris le numéro.**

2 **Lis et complète.**

Monsieur Legrand – Marie – Madame Legrand – Maggie – ~~Léo~~ – Alice

Léo	range la gomme dans la trousse.
	pose les crayons de couleur.
	prend le cartable.
	prête la règle à madame Legrand.
	téléphone.
	demande le taille-crayon.

Regarde et écris.

crayon   pose   bleu.   prend   violette.   Marie

Léo   un   trousse   sa

....

....

 🎧42 **Écoute la poésie « S'il te plaît ». Lis et complète.**

crayon   gomme   ciseaux   Merci   ~~S'il te plaît~~

cartable   taille-crayon   trousse

S'il te plaît, mon amie Alice,

Prête-moi ! Prête-moi !

Des ...., un ....

Une .... et un ....

J'ai oublié ma .... et mon ....

...., mon amie. Tu es formidable !

1 🎧 43 Écoute et écris le numéro.

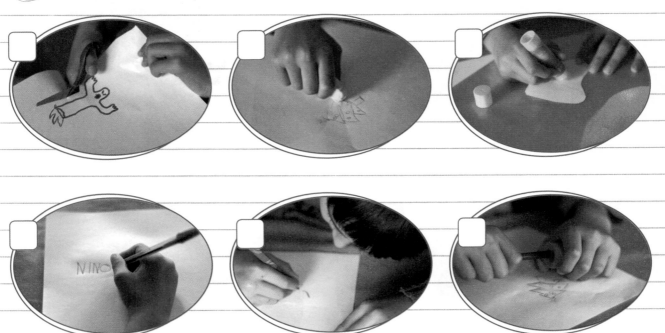

2 🎧 44 Écoute et colorie les nombres.

0 1 2 3 4 5 6

7 8 9 10 11 12

13 14 15 16 17

18 19 20

3 Retrouve les jours de la semaine.

lundimardimercredijeudivendredisamedidimanche

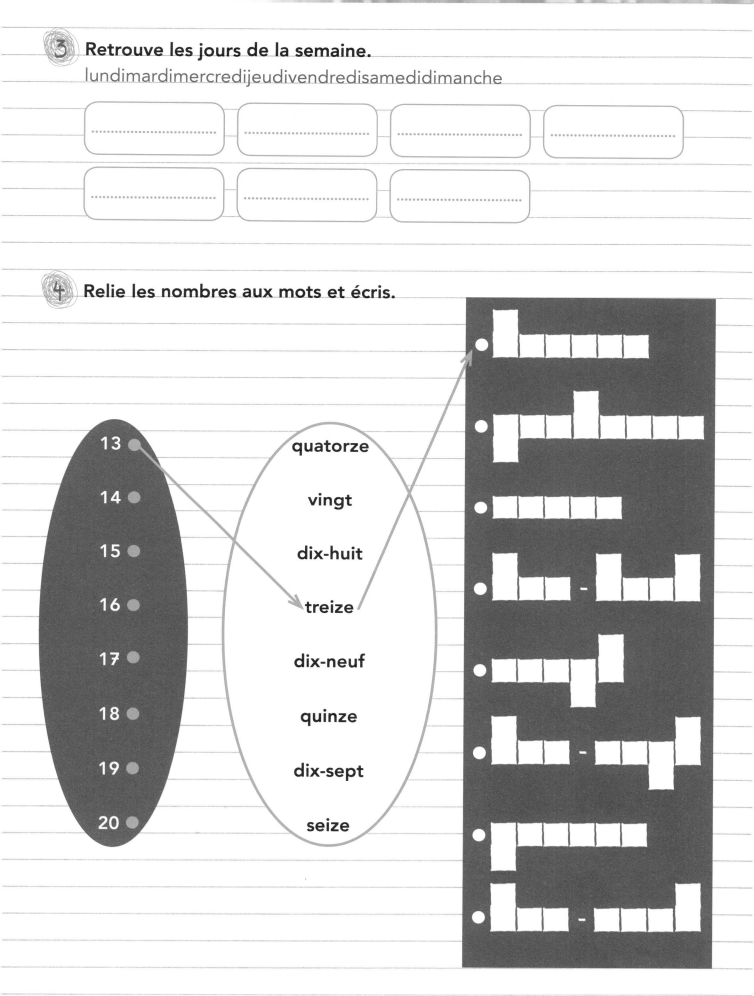

4 Relie les nombres aux mots et écris.

13 •
14 •
15 •
16 •
17 •
18 •
19 •
20 •

quatorze

vingt

dix-huit

treize

dix-neuf

quinze

dix-sept

seize

Tu aimes aller à l'école ?

1 🎧 **45** Écoute et coche.

2 Écris « J'aime » ou « Je n'aime pas ».

MOI !

3 Cherche les autocollants page C et complète les dessins.

4 **Complète les bulles :** Tu fais du sport et je compte. Tu lis et j'écris. Tu récites une poésie et je dessine.

1 🎧 46 **Écoute et relie.**

pendant la récréation ?

 Trouve les mots et écris.

billes – ballon – corde – ~~livre~~ – marelle

T	U	V	M	V	R	F	E
L	I	B	A	L	L	O	N
I	R	U	R	E	A	A	I
V	S	D	E	M	N	R	B
R	B	I	L	L	E	S	B
E	B	L	L	I	C	P	A
P	V	L	E	M	A	E	L
C	O	R	D	E	L	E	O

 → Ils jouent à la ....

 → Elle lit un livre.

 → Il joue au ....

 → Elles sautent à la ....

 → Ils jouent aux ....

Je révise.

1 Observe, lis et écris le bon numéro.

☐ Ⓐ Elle compte.
☐ Ⓑ Elle lit.
☐ Ⓒ Elle chante.
☐ Ⓓ Ils jouent aux billes.
☐ Ⓔ Elle saute à la corde.

2 Complète le mot croisé.

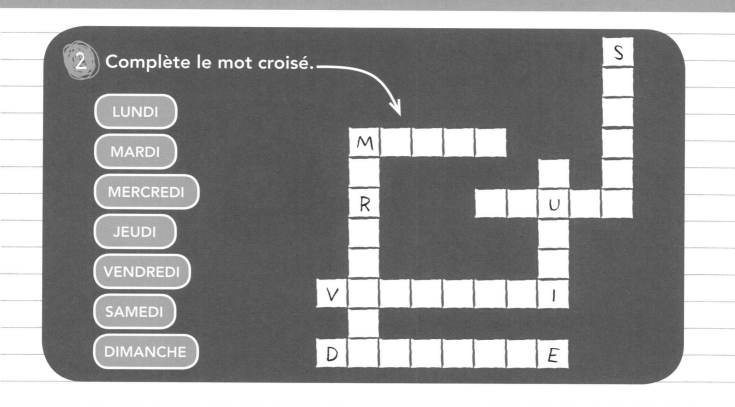

- LUNDI
- MARDI
- MERCREDI
- JEUDI
- VENDREDI
- SAMEDI
- DIMANCHE

3 Lis et réponds vrai ou faux. Trouve son prénom.

Il aime lire. → ....

Il aime compter. → ....

Il n'aime pas sauter à la corde. → ....

Il aime jouer au ballon. → ....

Il aime jouer à la marelle. → ....

C'est ....

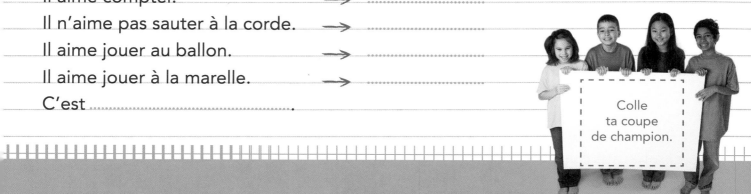

Colle
ta coupe
de champion.

Tu habites où ?

1 **Écoute, relie et dessine.**

à la mer

à la campagne

en ville

à la montagne

2 **Complète et dessine.**

a. un appartement – une maison

b. en ville – à la campagne – à la mer – à la montagne

Elle habite dans a. un appartement,

b. à la montagne.

J'habite dans a. .... ,

b. ....

③ 🎧48 **Écoute et complète avec les mots et les autocollants page C.**
la salle à manger – le salon – la cuisine – la chambre – la chambre –
le jardin – la salle de bains – la chambre – la chambre

la salle à manger

1 🎧 **Écoute et dessine.**

2 **Complète.**   sur   sous   dans

Maggie est .... le coffre.

Maggie est .... le lit.

Maggie est .... la chaise.

Entoure et dis les 5 différences.

Joue avec tes autocollants

a. Complète le sudoku avec les autocollants page C.

un coffre	un lit	....	une chaise
....	un bureau	un coffre	....
....	une chaise	....	....
un lit	....	....	un bureau

b. Écris les mots.

Tu as des frères et des sœurs ?

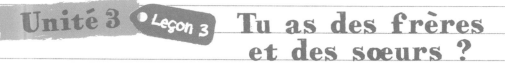

1 🎧 50 Écoute, coche et colorie.

2 Lis et dessine les frères et les sœurs de Lili et Léa.

Salut !

Je m'appelle Lili. J'ai sept ans.

J'ai un petit frère. J'ai deux sœurs.

Et toi ?

Au revoir.

Lili

Bonjour !

Je m'appelle Léa. J'ai huit ans.

Je n'ai pas de frère. J'ai deux sœurs.

Et toi ?

Salut !

Léa

3 **Complète ta lettre avec ou sans les autocollants page C.**

.... !

....

....

....

....

Et toi ?

.... !

....

1 🎧 **51** **Écoute et écris le bon numéro.**

La famille de Caro,
c'est la famille n° ⬜.

La famille de Chloé,
c'est la famille n° ⬜.

La famille de Zoé,
c'est la famille n° ⬜.

Complète l'arbre généalogique de la famille Legrand.

mon frère – ma grand-mère – ma mère – mon père – mon grand-père – ma sœur – ma grand-mère – ma famille – ~~moi~~

moi

1 **Écoute et barre.**

2 **Écris.**

une tortue – un chat – un oiseau – ~~une souris~~ – un poisson – un chien

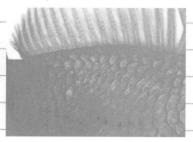

....

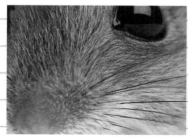
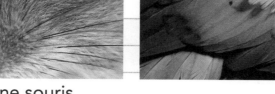

une souris ....

Nomme ces drôles d'animaux.

C'est un poisson chat.   C'est un ....   C'est un ....

C'est un ....   C'est une ....

 À toi maintenant ! Dessine un drôle d'animal.
Donne-lui un nom.

C'est ....

Je révise.

 1 Observe, relie et écris.

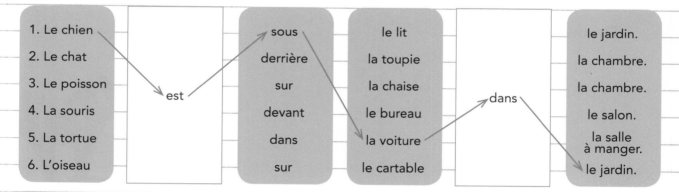

1. Le chien		sous	le lit		le jardin.
2. Le chat		derrière	la toupie		la chambre.
3. Le poisson		sur	la chaise		la chambre.
4. La souris	est	devant	le bureau	dans	le salon.
5. La tortue		dans	la voiture		la salle à manger.
6. L'oiseau		sur	le cartable		le jardin.

1. Le chien est sous la voiture dans le jardin.

2. ....

3. ....

4. ....

5. ....

6. ....

Dans ma classe, il y a : .... filles 👩 et .... garçons 👨.

Mon professeur de français est : ☐ un monsieur / ☐ une dame.

③ **Complète le projet de Noémi.**

Voici ma famille.

moi

mon p............

mon ....

ma .... ma ....

C'est moi dans ....

J'habite à la ....

dans une ....

Voici mes animaux.

mon ....

mon ....

Colle
ta coupe
de champion.

Je te dis « bonjour »
Je te dis « bonjour ».
Tu me dis « bonjour ».
On se dit « bonjour et bonne journée ».

Je te dis « au revoir ».
Tu me dis « au revoir ».
On se dit « au revoir et à bientôt ».

1, 2, 3
1, 2, 3 je vais dans les bois.
1, 2, 3 je vais dans les bois.
4, 5, 6 cueillir des cerises.
4, 5, 6 cueillir des cerises.
7, 8, 9 dans mon panier neuf.
7, 8, 9 dans mon panier neuf.
10, 11, 12 elles seront toutes rouges.
10, 11, 12 elles seront toutes rouges.

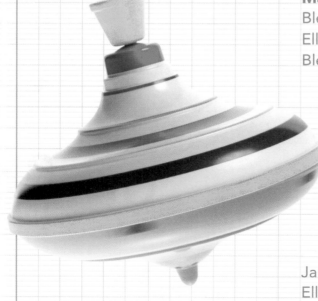

Ma toupie
Bleu, jaune, vert ma toupie.
Elle tourne, elle tourne.
Bleu, jaune, vert ma toupie.
Elle tourne. C'est très joli.

Bleu, rouge, violet ma toupie.
Elle tourne, elle tourne.
Bleu, rouge, violet ma toupie.
Elle tourne. C'est très joli.

Jaune, rouge, orange ma toupie.
Elle tourne, elle tourne.
Jaune, rouge, orange ma toupie.
Elle tourne, elle tourne. Elle tourne et c'est fini.

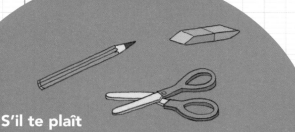

S'il te plaît

S'il te plaît mon amie Alice,
Prête-moi ! Prête-moi !
Des ciseaux, un taille-crayon,
Une gomme et un crayon.
J'ai oublié ma trousse et mon cartable.
Merci, mon amie. Tu es formidable !

Mes petites mains

Mes petites mains dessinent, dessinent
Elles dessinent en haut, elles dessinent en bas
Elles dessinent à gauche, elles dessinent à droite.

Mes petites mains gomment, gomment
Elles gomment en haut, elles gomment en bas
Elles gomment à gauche, elles gomment à droite.

Mes petites mains taillent, taillent
Elles taillent en haut, elles taillent en bas
Elles taillent à gauche, elles taillent à droite.

Mes petites mains peignent, peignent
Elles peignent en haut, elles peignent en bas
Elles peignent à gauche, elles peignent à droite.

Mes petites mains découpent, découpent
Elles découpent en haut, elles découpent en bas
Elles découpent à gauche, elles découpent à droite.

Mes petites mains collent, collent
Elles collent en haut, elles collent en bas
Elles collent à gauche, elles collent à droite.

Mes petites mains écrivent, écrivent
Elles écrivent en haut, elles écrivent en bas
Elles écrivent à gauche, elles écrivent à droite.

Mes petites mains donnent, donnent
Elles donnent en haut, elles donnent en bas
Elles donnent à gauche, elles donnent à droite.

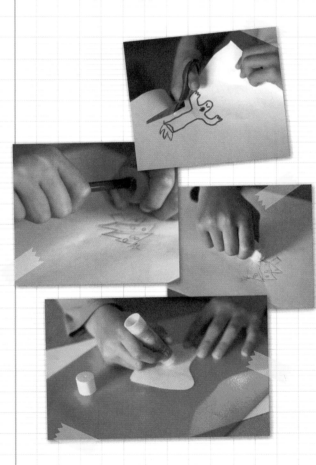

L'alphabet

A B C D E F G
H I J K L M N O P
Q R S T U V W
X Y Z
C'est l'alphabet !
Moi je connais l'alphabet !

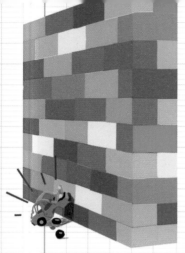

Tut ! Tut !
Une petite voiture roule à toute allure
Mmmmmmmmmmmmmmmm
Paf ! Dans un grand mur.
Oh, plus de petite voiture !
Une grande voiture roule à toute allure
Mmmmmmmmmmmmmmmm
Paf ! Dans un petit mur.
Oh, plus de petit mur !

Quand Fanny était un bébé
Quand Fanny était un bébé, un bébé, un bébé
Quand Fanny était un bébé
Elle faisait comme ça :
– Areuh ! Areuh ! Areuh !
Quand Fanny était une petite fille, une petite fille, une petite fille
Quand Fanny était une petite fille
Elle faisait comme ça :
– Nananananère !
Quand Fanny était une jeune fille, une jeune fille, une jeune fille,
Quand Fanny était une jeune fille
Elle faisait comme ça :
 – Ah, que je suis belle !
Quand Fanny était une maman, une maman, une maman
Quand Fanny était une maman
Elle faisait comme ça :
– Chut, mon bébé dort !
Quand Fanny était une grand-mère, une grand-mère, une grand-mère
Quand Fanny était une grand-mère
Elle faisait comme ça :
– Ah, j'ai mal au dos !
Quand Fanny était un squelette, un squelette, un squelette
Quand Fanny était un squelette
Elle faisait comme ça :
– Je claque des doigts !

La famille tortue
Jamais on n'a vu
Jamais on ne verra
La famille tortue
Courir après les rats
Le papa tortue
Et la maman tortue
Et les enfants tortue
Iront toujours au pas

Qui a un chapeau ?

Qui a un chapeau ?
C'est mon ami Mario.
Qui a des lunettes ?
C'est grand-mère Lisette.
Qui a une moustache ?
C'est grand-père Eustache.
Qui a des boucles d'oreilles ?
C'est la petite Mireille.

Qui a une barbe ?
Ce n'est pas papa !
Il n'en a pas !
C'est ma copine Maria
Qui a une barbe
Une barbe à papa
Ça va de soi !

Tête, épaules et genoux pieds

Tête, épaules et genoux pieds, genoux pieds
Tête, épaules et genoux pieds, genoux pieds
J'ai deux yeux, deux oreilles une bouche et un nez
Tête, épaules et genoux pieds, genoux pieds

Pomme, pêche, poire, abricot

Pomme, pêche, poire, abricot
y en a une, y en a une
pomme, pêche, poire, abricot
y en a une de trop
C'est l'abricot qui est en trop.

Pomme, pêche, poire
y en a une, y en a une
pomme, pêche, poire
y en a une de trop

Pomme, pêche
y en a une, y en a une
pomme, pêche
y en a une de trop

pomme
y en a une, y en a une
pomme
y en a une de trop

C'est la pomme qui est en trop !

Bon appétit
bon a bon a (bon a)
ppétit
merci merci (merci)
beaucoup
de rien de rien (de rien)
du tout
mangez mangez (mangez)
beaucoup
beaucoup beaucoup (beaucoup)
de tout

Promenons-nous dans les bois

Promenons-nous dans les bois,
Pendant que le loup n'y est pas.
Si le loup y était,
Il nous mangerait.
Mais comme il n'y est pas,
Il nous mangera pas.
– Loup y es-tu ?
– Oui !
– Entends-tu ?
– Oui !
– Que fais-tu ?
– Je mets mon pantalon bleu.
– Tu mets ton pantalon bleu ?
– Oui, il met son pantalon bleu !

Je mets mon tee-shirt violet.
Je mets mes chaussettes rouges.
Je mets mes baskets blanches.
Je mets ma veste marron.
Je mets ma casquette verte
Je suis prêt, je sors !
AHHHHHHHHHH !

Plic Ploc

Il y a du soleil.
Il y a des nuages.
Il y a de l'orage.
Plic Ploc
Il pleut.
Plic Ploc
Il pleut.
Monsieur et Madame Legrand sont dans leur maison.
Léo marche sous son parapluie.
Il pleut sur la campagne.
Il neige sur la montagne.

Le carrousel

Nous tournons, tournons en rond
Moi, dans mon petit avion
En avion, en avion
Nous tournons, tournons en rond.

Toi, tu roules à toute allure
Dans ta belle, ta belle voiture
En voiture, en voiture
Toi, tu roules à toute allure.

Nous tournons, tournons en rond
Lui, dans son petit camion
En camion, en camion
Nous tournons, tournons en rond.

Elle, elle dépasse la moto
Sur son beau, son beau vélo
À vélo, à vélo
Elle, elle dépasse la moto.

Nous tournons, tournons en rond
Moi, dans mon petit ballon
En ballon, en ballon
Nous tournons, tournons en rond.

Toi, tu voudrais décoller
Dans ta belle, ta belle fusée
En fusée, en fusée
Toi, tu voudrais décoller !

Oh non !!! C'est fini.

La Chandeleur

C'est la Chandeleur !
Quel bonheur !
Toute la famille autour
Chacun son tour
Lançons les crêpes dans le ciel !
Les crêpes en forme de soleil !

Vive le vent

Vive le vent, vive le vent
Vive le vent d'hiver
Qui s'en va sifflant, soufflant
Dans les grands sapins verts...
Oh ! Vive le temps, vive le temps
Vive le temps d'hiver
Boule de neige et jour de l'an
Et bonne année grand-mère...

Dans ton dos

Dans ton dos, dans ton dos
Qu'est-ce qu'il y a ? Qu'est-ce qu'il y a ?
Dans mon dos, dans mon dos
Je ne sais pas ! Je ne vois pas !

C'est un poisson chat !
Chat chat chat
Danse au bout du fil
Beau poisson d'avril.

C'est un poisson-scie !
Scie scie scie
Saute au bout du fil
Beau poisson d'avril.

C'est un poisson-clown !
Clown clown clown
Vole au bout du fil
Beau poisson d'avril.

Hi ! Hi !

Unité 1 – Bonjour !
1. Moi, c'est Léo et toi ? Salut ! Moi, c'est Alice. Ça va ? Au revoir.
2. Il y a combien de doigts ? zéro – un – deux – trois – quatre – cinq – six – sept – huit…
3. Comment tu t'appelles ? Tu as quel âge ? Je m'appelle Léo. J'ai sept ans.
4. De quelles couleurs est la toupie ? noir – blanc – bleu – rouge – jaune – violet – orange – vert
5. Qu'est-ce qu'il fait ? Qu'est-ce qu'elle fait ? Il peint. Elle chante. Et toi, tu apprends le français.

FAITS CULTURELS

Les salutations
Compter sur les doigts
Une chanson traditionnelle :
1, 2, 3 nous irons au bois
Une peinture française
Un monument français

COMMUNICATION

Nommer les personnages, saluer et prendre congé
Compter de 0 à 12
Demander et dire son prénom, son âge
Qualifier un objet par sa couleur (1re partie)
Dire ce qu'il fait

PETITS DOCS – PROJETS
Petit doc La peinture préférée de Léo
Projet Le téléphone de Pedro
> Avoir une mini-conversation au téléphone

Remue-méninges : le labyrinthe

Unité 2 – Vive l'école !
1. Qu'est-ce que c'est ? C'est une trousse. C'est un cartable. Ce sont des ciseaux.
2. Qui fait quoi ? Léo pose son cartable. Maggie prend les crayons. Alice prête les ciseaux.
3. Nous sommes quel jour aujourd'hui ? lundi – mardi – mercredi – jeudi – vendredi – samedi – dimanche
4. Tu aimes aller à l'école ? Oui, j'aime aller à l'école. J'aime lire et compter. Je n'aime pas dessiner.
5. Qu'est-ce que tu aimes faire pendant la récréation ? J'aime sauter à la corde…

FAITS CULTURELS

Les jeux de la cour de récréation
L'alphabet français

COMMUNICATION

Nommer le matériel scolaire ; qualifier un objet
par sa couleur (2e partie)
Demander à quelqu'un de lui prêter quelque chose
Compter de 13 à 20 ; citer les jours de la semaine
Exprimer ses goûts parmi les activités en classe :
J'aime./Je n'aime pas.
Dire ses activités préférées pendant la récréation

PETITS DOCS – PROJETS
Petit doc Les abécédaires d'Alice
Projet Le présentoir d'Hugo
> Parler des autres à partir de présentoirs

Unité 3 – La famille Legrand
1. Tu habites où ? J'habite en ville. Je n'habite pas à la campagne, à la montagne, à la mer.
2. Qu'est-ce qu'il y a dans ta chambre ? Il y a des jouets dans le coffre, une voiture sous le bureau,
des livres sur le lit.
3. Tu as des frères et des sœurs ? Oui, j'ai une sœur et un frère. Non, je n'ai pas de sœur et je n'ai pas de frère.
4. Tu habites avec qui ? J'habite avec mes parents (mon père et ma mère), ma grand-mère et mon grand-père.
5. Tu as des animaux ? Oui, j'ai un chien, un chat, une tortue… Non, je n'ai pas d'animaux.

FAITS CULTURELS

Les types d'habitations
Une chambre d'enfant
Les animaux domestiques
Des chansons traditionnelles :
Quand Fanny était un bébé,
La famille tortue

COMMUNICATION

Dire où il habite
Nommer les objets de sa chambre
Dire s'il a des frères et des sœurs
Présenter sa famille proche
Nommer ses animaux domestiques

PETITS DOCS – PROJETS
Petit doc La carte postale de …
Projet Le dépliant de Minami
> Se présenter à l'aide d'un dépliant

Remue-méninges : le Jeu de l'Oie des *Loustics*

Les fêtes
La Chandeleur

La Chandeleur
Présenter la recette des crêpes

Interdisciplinarité

● Les chiffres et les nombres
Unité 1 : de 0 à 12
Unité 2 : de 13 à 20

● Le monde des objets
Unité 1 : les formes

● Les pratiques artistiques
Unité 1 : *Tour Eiffel* de Robert Delaunay
Unité 3 : dessiner une habitation
et son environnement

**● L'instruction civique
et morale**
Unité 2 : les règles de politesse

● Le temps et l'espace
Unité 2 : les jours, en haut, à gauche…
Unité 3 : les paysages, les âges
de la vie, l'arbre généalogique,
les positions (entre, devant, derrière)

Unité 1 : Bonjour !

p. 38

p. 39

Au revoir monsieur !

Salut !

Bonjour monsieur.

Oui, ça va bien.

Ça va ?

Bonjour madame !

Bonjour Léo.

p. 43

p. 46

A

Ta coupe p. 49 !

B

Unité 2 : Vive l'école !

p. 57

Je compte.

Je dessine.

J'écris.

Je lis.

Je chante.

Je récite une poésie.

Je fais du sport.

Ta coupe p. 61 !

Unité 3 : La famille Legrand

p. 63

p. 65

p. 67

Salut	Bonjour	Au revoir	Je m'appelle	
J'ai	un frère	deux frères	trois frères	quatre frères
J'ai	une sœur	deux sœurs	trois sœurs	quatre sœurs
Je n'ai pas de frère.	Je n'ai pas de sœur.			

Ta coupe p. 73 !

C